MARX
ENGELS

Manifeste du Parti communiste

Traduit de l'allemand par
Laura Lafargue

Avec une postface de
Raoul Vaneigem

Couverture
de Marion Bataille

ÉDITIONS MILLE ET UNE NUITS

MARX-ENGELS
n° 48

Texte intégral.
Titre original :
Manifest der Kommunistischen Partei.

Notre adresse internet : www.1001nuits.com

Sommaire

MARX-ENGELS

Manifeste du Parti communiste

Préface

La Ligue des communistes, union ouvrière internationale, qui ne pouvait évidemment être que secrète, étant donné les conditions d'alors, chargea les soussignés, au congrès tenu à Londres en novembre 1847, de rédiger et de publier un programme théorique et pratique détaillé du parti. C'est là l'origine de ce *Manifeste*, dont le manuscrit fut envoyé à l'impression à Londres quelques semaines avant la révolution de Février. Publié d'abord en allemand, il a eu dans cette langue au moins douze éditions différentes en Allemagne, en Angleterre et en Amérique. Il parut en anglais à Londres en 1850 dans le *Red Republican*, traduit par miss Hélène Macfarlane, en 1871, dans au moins trois traductions différentes en Amérique. Il a paru en français à Paris, peu de temps avant l'insurrection de juin 1848 et, récemment, dans *Le Socialiste* de New York. On en prépare en ce moment une autre traduction. On en fit une édition en polonais à Londres, peu de temps après sa première édition allemande. Il a paru en russe, à Genève, quelques années après 1860. Il a été traduit en danois aussitôt après sa publication originale.

Bien que les conditions aient beaucoup changé dans ces vingt-cinq dernières années, les principes généraux exposés dans ce *Manifeste* conservent en gros, encore aujourd'hui, toute leur exactitude. Certaines parties en devraient être retouchées. Le *Manifeste* explique lui-même que l'application de ces principes dépendra partout et toujours des circonstances historiques existantes, et que, par suite, il ne faut pas attribuer trop d'importance aux mesures révolutionnaires énumérées à la fin du chapitre II. Ce passage serait rédigé tout autrement aujourd'hui en plus d'un point. Étant donné le développement colossal de la grande industrie dans ces vingt-cinq dernières années, et l'organisation de la classe ouvrière en parti qui s'est développée parallèlement ; étant donné les expériences, d'abord de la révolution de Février, et plus encore de la Commune de Paris, qui donna pour la première fois au prolétariat pendant deux mois la puissance politique, ce programme est aujourd'hui vieilli sur certains points. La Commune, notamment, a démontré que « la classe ouvrière ne peut pas simplement s'emparer de la machine de l'État et la mettre en mouvement pour ses propres fins ». (Voir *La Guerre civile en France*, adresse du Conseil général de l'Association internationale des travailleurs, où cette idée est plus longuement développée.) En outre, il est évident que la critique de la littérature socialiste est maintenant incomplète, puisqu'elle s'arrête à 1847. Et, de même, si les remarques sur la position des communistes à l'égard des différents partis d'opposition (chapitre IV) sont exactes aujourd'hui encore dans leurs traits généraux, elles sont vieillies sur les points de détail parce que la situation politique est complètement changée et que l'évolution historique a fait disparaître la plupart des partis qui y sont énumérés.

Cependant, le *Manifeste* est un document historique que nous ne nous arrogeons plus le droit de modifier. Une édition postérieure sera peut-être précédée d'une introduction qui comblera la lacune entre 1847 et nos jours ; la réimpression actuelle est trop soudaine pour nous donner le temps de l'écrire.

Londres, 24 juin 1872.

KARL MARX, FRIEDRICH ENGELS

Manifeste du Parti communiste

Un spectre hante l'Europe, le spectre du communisme. Toutes les puissances de la vieille Europe se sont unies en une Sainte-Alliance pour traquer ce spectre : le pape et le tsar, Metternich et Guizot, les radicaux de France et les policiers d'Allemagne.

Quelle est l'opposition que n'ont pas accusée de communisme ses adversaires au pouvoir ? Quelle est l'opposition qui, à son tour, n'a pas relancé à ses adversaires de droite ou de gauche l'épithète flétrissante de communistes ?

Deux choses ressortent de ces faits :

1° Déjà le communisme est reconnu par toutes les puissances d'Europe comme une puissance.

2° Il est grand temps que les communistes exposent, à la face du monde entier, leur manière de voir, leurs buts et leurs tendances ; qu'ils opposent au conte du spectre du communisme un manifeste du parti.

Dans ce but, des communistes de diverses nationalités se sont réunis à Londres et ont rédigé le manifeste suivant, qui sera publié en anglais, français, allemand, italien, flamand et danois.

handwritten at top: ✱ si pas opposition ∅ mouvement.

I
Bourgeois et Prolétaires

[L'histoire de toute société jusqu'à nos jours* n'a été que l'histoire des luttes de classes.]

Hommes libres et esclaves, patriciens et plébéiens, barons et serfs, maîtres de jurande et compagnons, en un mot, oppresseurs et opprimés, en opposition constante, ont mené une guerre ininterrompue, tantôt ouverte, tantôt dissimulée ; une guerre qui finissait toujours ou par

---

* Ou plus exactement l'histoire transmise par écrit. En 1847, la préhistoire, l'organisation sociale qui a précédé toute histoire écrite, était à peu près inconnue. Depuis, Haxthausen a découvert en Russie la propriété commune de la terre, Maurer a démontré qu'elle est la base sociale d'où sortent historiquement toutes les tribus allemandes, et on a découvert, peu à peu, que la commune rurale, avec possession collective de la terre, a été la forme primitive de la société depuis les Indes jusqu'à l'Irlande. Finalement la structure de cette société communiste primitive a été mise à nu dans ce qu'elle a de typique par la découverte décisive de Morgan, qui a fait connaître la nature véritable de la *gens* et de sa place dans la tribu. Avec la dissolution de ces communautés primitives commence la division de la société en classes distinctes et finalement opposées. J'ai tenté de décrire ce processus de dissolution dans *L'Origine de la famille, de la proriété privée et de l'État*. (Note de F. Engels.)

13

une transformation révolutionnaire de la société tout entière, ou par la destruction des deux classes en lutte.

Dans les premières époques historiques, nous constatons presque partout une division hiérarchique de la société, une échelle graduée de positions sociales. Dans la Rome antique, nous trouvons des patriciens, des chevaliers, des plébéiens et des esclaves ; au Moyen Âge, des seigneurs, des vassaux, des maîtres, des compagnons, des serfs ; et, dans chacune de ces classes, des gradations spéciales.

La société bourgeoise moderne, élevée sur les ruines de la société féodale, n'a pas aboli les antagonismes de classes. Elle n'a fait que substituer aux anciennes de nouvelles classes, de nouvelles conditions d'oppression, de nouvelles formes de lutte.

Cependant, le caractère distinctif de notre époque, de l'ère de la bourgeoisie, est d'avoir simplifié les antagonismes de classes. La société se divise de plus en plus en deux vastes grands camps opposés, en deux classes ennemies : la bourgeoisie et le prolétariat.

Des serfs du Moyen Âge naquirent les éléments des premières communes ; de cette population municipale sortirent les éléments constitutifs de la bourgeoisie.

La découverte de l'Amérique, la circumnavigation de l'Afrique offrirent à la bourgeoisie naissante un nouveau champ d'action. Les marchés de l'Inde et de la Chine, la colonisation de l'Amérique, le commerce colonial, l'accroissement des moyens d'échange et des marchandises imprimèrent une impulsion inconnue jusqu'alors au commerce, à la navigation, à l'industrie et assurèrent, en conséquence, un rapide développement à l'élément révolutionnaire de la société féodale en dissolution.

L'ancien mode de production ne pouvait plus satisfaire aux besoins qui croissaient avec l'ouverture de nouveaux marchés. Le métier, entouré de privilèges féodaux, fut remplacé par la manufacture. La petite bourgeoisie industrielle supplanta les maîtres de jurande ; la division du travail entre les différentes corporations disparut devant la division du travail dans l'atelier même.

Mais les marchés s'agrandissaient sans cesse : la demande croissait toujours. La manufacture, elle aussi, devint insuffisante ; alors, la vapeur et la machine révolutionnèrent la production industrielle. La grande industrie moderne supplanta la manufacture ; la petite bourgeoisie manufacturière céda la place aux industriels millionnaires — chefs d'armées de travailleurs —, aux bourgeois modernes.

La grande industrie a créé le marché mondial, préparé par la découverte de l'Amérique. Le marché mondial accéléra prodigieusement le développement du commerce, de la navigation, de tous les moyens de communication. Ce développement réagit à son tour sur la marche de l'industrie ; et, au fur et à mesure que l'industrie, le commerce, la navigation, les chemins de fer se développaient, la bourgeoisie grandissait, décuplant ses capitaux et refoulant à l'arrière-plan les classes transmises par le Moyen Âge.

La bourgeoisie, nous le voyons, est elle-même le produit d'un long développement, d'une série de révolutions dans les modes de production et de communication.

Chaque étape de l'évolution parcourue par la bourgeoisie était accompagnée d'un progrès politique correspondant. État opprimé par le despotisme féodal, association se gouvernant elle-même dans la commune* ; ici, république municipale, là, tiers état taxable de la monarchie ; puis, durant la période manufacturière, contrepoids de la noblesse dans les monarchies limitées ou absolues ; pierre angulaire des grandes monarchies, la bourgeoisie, depuis l'établissement de la grande industrie et du marché mondial, s'est finalement emparée du pouvoir politique — à l'exclusion des autres classes — dans l'État représentatif moderne. Le gouvernement moderne n'est qu'un comité administratif des affaires de la classe bourgeoise.

La bourgeoisie a joué dans l'histoire un rôle essentiellement révolutionnaire.

Partout où elle a conquis le pouvoir, elle a foulé aux pieds les relations féodales, patriarcales et idylliques. Tous les liens multicolores qui unissaient l'homme féodal à ses supérieurs naturels, elle les a brisés sans pitié pour ne laisser subsister d'autre lien, entre l'homme et l'homme, que le froid intérêt, que le dur argent comptant. Elle a noyé l'extase religieuse, l'enthousiasme chevaleresque, la sentimentalité du petit-bourgeois dans les eaux glacées du calcul égoïste. Elle a fait de la dignité personnelle une simple

---

* C'est ainsi que les habitants des villes, en Italie et en France, appelaient leur communauté urbaine, une fois achetés ou arrachés à leurs seigneurs féodaux leurs premiers droits à une administration autonome. (Note de F. Engels.)

valeur d'échange; elle a substitué aux nombreuses libertés, si chèrement conquises, l'unique et impitoyable liberté du commerce. En un mot, à la place de l'exploitation, voilée par des illusions religieuses et politiques, elle a mis une exploitation ouverte, directe, brutale, éhontée.

La bourgeoisie a dépouillé de leur auréole toutes les professions jusque-là réputées vénérables et vénérées. Du médecin, du juriste, du prêtre, du poète, du savant, elle a fait des travailleurs salariés.

La bourgeoisie a déchiré le voile de sentimentalité qui recouvrait les relations de famille et les a réduites à n'être que de simples rapports d'argent.

La bourgeoisie a démontré comment la brutale manifestation de la force au Moyen Âge, si admirée de la réaction, trouve son complément naturel dans la plus crasse paresse. C'est elle qui, la première, a prouvé ce que peut accomplir l'activité humaine : elle a créé bien d'autres merveilles que les pyramides d'Égypte, les aqueducs romains, les cathédrales gothiques; elle a conduit bien d'autres expéditions que les antiques migrations de peuples et les croisades.

La bourgeoisie n'existe qu'à la condition de révolutionner constamment les instruments de travail, ce qui veut dire le mode de production, ce qui veut dire tous les rapports sociaux. La conservation de l'ancien mode de production était, au contraire, la première condition d'existence de toutes les classes industrielles antérieures. Ce bouleversement continuel des modes de production, cette agitation et cette insécurité perpétuelles distinguent l'époque bourgeoise de toutes les précédentes. Tous les rapports sociaux traditionnels et figés, avec leur cortège de croyances et d'idées admises et vénérées se dissolvent; celles qui les remplacent deviennent surannées avant de se cristalliser. Tout ce qui était solide et stable est ébranlé, tout ce qui était sacré est profané; et les hommes sont forcés, enfin, d'envisager leurs conditions d'existence et leurs rapports réciproques avec des yeux dégrisés.

Poussé par le besoin de débouchés toujours nouveaux, la bourgeoisie envahit le globe entier. Il lui faut pénétrer partout, s'établir partout, créer partout des moyens de communication.

Par l'exploitation du marché mondial, la bourgeoisie donne un caractère cosmopolite à la production et à la consommation de tous les pays. Au désespoir des réactionnaires, elle a enlevé à l'industrie sa base nationale. Les vieilles industries nationales sont détruites ou sur le point de l'être. Elles sont supplantées par de nouvelles industries, dont l'introduction devient une question vitale pour toutes les nations civilisées, industries qui n'emploient plus des matières premières indigènes, mais des matières premières venues des régions les plus éloignées et dont les produits se consomment non seulement dans le pays même, mais dans toutes les coins du globe.

À la place des anciens besoins, satisfaits par les produits nationaux, naissent des besoins nouveaux, réclamant pour leur satisfaction les produits des contrées les plus lointaines et des climats les plus divers. À la place de l'ancien isolement des nations se suffisant à elles-mêmes se développe un trafic universel, une interdépendance des nations. Et ce qui est vrai pour la production matérielle s'applique à la production intellectuelle. Les productions intellectuelles d'une nation deviennent la propriété commune de toutes. L'étroitesse et l'exclusivisme nationaux deviennent de jour en jour plus impossibles; des nombreuses littératures nationales et locales se forme une littérature universelle.

Par le rapide développement des instruments de production et des moyens de communication, la bourgeoisie entraîne dans le courant de la civilisation jusqu'aux nations les plus barbares. Le bon marché de ses produits est la grosse artillerie qui bat en brèche toutes les murailles de Chine et fait capituler les barbares les plus opiniâtrement hostiles aux étrangers. Sous peine de mort, elle force toutes les nations à adopter le mode de production bourgeois; elle les force à introduire chez elles la prétendue civilisation, c'est-à-dire à devenir bourgeoises. En un mot, elle modèle le monde à son image.

La bourgeoisie a soumis la campagne à la ville. Elle a créé d'énormes cités; elle a prodigieusement augmenté la population des villes aux dépens de celle des campagnes, et par là, elle a préservé une grande partie de la population de l'idiotisme de la vie des champs. De même qu'elle a subordonné la campagne à la ville, les nations barbares ou demi-civilisées aux nations civilisés, elle a subordonné les pays agricoles aux pays industriels, l'Orient à l'Occident.

La bourgeoisie supprime de plus en plus l'éparpillement des moyens de production, de la propriété et de la population. Elle a aggloméré les populations, centralisé les moyens de production et concentré la propriété dans les mains de quelques individus. La conséquence fatale de ces changements a été la centralisation politique. Des provinces indépendantes reliées entre elles par des liens fédéraux, mais ayant des intérêts, des lois, des gouvernements, des tarifs douaniers différents, ont été réunies en une seule nation, sous un seul gouvernement, une seule loi, un seul tarif douanier, un seul intérêt national de classe.

La bourgeoisie, depuis son avènement à peine séculaire, a créé des forces productives plus variées et plus colossales que toutes les générations passées prises ensemble. La subjugation des forces de la nature, les machines, l'application de la chimie à l'industrie et à l'agriculture, la navigation à vapeur, les chemins de fer, les télégraphes électriques, le défrichement de continents entiers, la canalisation des rivières, des populations entières sortant de terre comme par enchantement — quel siècle antérieur a soupçonné que de pareilles forces productives dorment dans le travail social ?

Voici donc ce que nous avons vu : les moyens de production et d'échange servant de base à l'évolution bourgeoise furent créés dans le sein de la société féodale. À un certain degré du développement de ces moyens de production et d'échange, les conditions dans lesquelles la société féodale produisait et échangeait ses produits, l'organisation féodale de l'industrie et de la manufacture, en un mot, les rapports de la propriété féodale, cessèrent de correspondre aux nouvelles forces productives. Ils entravaient la production au lieu de la développer. Ils se transformaient en autant de chaînes. Il fallait briser ces chaînes. On les brisa.

À la place s'éleva la libre concurrence, avec une constitution sociale et politique correspondante, avec la domination économique et politique de la classe bourgeoise.

Sous nos yeux il se produit un phénomène analogue. La société bourgeoise moderne, qui a mis en mouvement de si puissants moyens de production et d'échange, ressemble au magicien qui ne sait plus dominer les puissances infernales qu'il a évoquées. Depuis trente ans au moins, l'histoire de l'industrie et du commerce n'est que l'histoire de la révolte des forces productives contre les rapports de propriété qui sont les conditions d'existence de la bourgeoisie et de son règne. Il suffit de mentionner les crises commerciales qui, par leur retour périodique, mettent de plus en plus en question l'existence de la société bourgeoise. Chaque crise détruit régulièrement non seulement une masse de produits déjà créés, mais encore une grande partie des forces productives elles-mêmes. Une épidémie qui, à toute autre époque, eût semblé un paradoxe s'abat sur la société — l'épidémie de la surproduction. La société se trouve subitement rejetée dans un état de barbarie momentanée ; on dirait qu'une famine, une guerre d'extermination lui coupent tous les moyens de subsistance ; l'industrie et le commerce semblent annihilés. Et pourquoi ? Parce que la société a trop de civilisation, trop de moyens de subsistance, trop d'industrie, trop de commerce. Les forces productives dont elle dispose ne favorisent plus le développement des conditions de la propriété bourgeoise ; au contraire, elles sont devenues trop puissantes pour ces conditions qui se tournent en entraves ; et toutes les fois que les forces productives sociales s'affranchissent de ces entraves, elles précipitent dans le désordre la société tout entière et menacent l'existence de la propriété bourgeoise.[Le système bourgeois est devenu trop étroit pour contenir les richesses créées dans son sein.]

Comment la bourgeoisie surmonte-t-elle ces crises ? D'une part, par la destruction forcée d'une masse de forces productives ; d'autre part, par la conquête de nouveaux marchés et l'exploitation plus parfaite des anciens. C'est-à-dire qu'elle prépare des crises plus générales et plus formidables et diminue les moyens de les prévenir.

Les armes dont la bourgeoisie s'est servie pour abattre la féodalité se retournent aujourd'hui contre la bourgeoisie elle-même.

Mais la bourgeoisie n'a pas seulement forgé les armes qui doivent lui donner la mort : elle a produit aussi les hommes qui manieront ces armes — les ouvriers modernes, les *prolétaires*.

Avec le développement de la bourgeoisie, c'est-à-dire du capital, se développe le prolétariat, la classe des ouvriers modernes qui ne vivent qu'à la condition de trouver du travail, et qui n'en trouvent plus dès que leur travail cesse d'agrandir le capital. Les ouvriers, contraints de se vendre au jour le jour, sont une marchandise comme tout autre article de commerce ; ils subissent, par conséquent, toutes les vicissitudes de la concurrence, toutes les fluctuations du marché.

L'introduction des machines et la division du travail, dépouillant le travail de l'ouvrier de son caractère indivi-

22

duel, lui ont enlevé tout attrait. Le producteur devient un simple appendice de la machine, on n'exige de lui que l'opération la plus simple, la plus monotone, la plus vite apprise. Par conséquent, le coût de production de l'ouvrier se réduit à peu près aux moyens d'entretien dont il a besoin pour vivre et propager sa race. Or, le prix du travail, comme celui de toute marchandise, est égal au coût de sa production. Donc, plus le travail devient répugnant, plus les salaires baissent. Bien plus, la somme de travail s'accroît avec le développement de la machine et de la division du travail, soit par la prolongation de la journée de travail, soit par l'accélération du mouvement des machines, etc.

L'industrie moderne a transformé le petit atelier de l'ancien patron patriarcal en la grande fabrique du bourgeois capitaliste. Des masses d'ouvriers, entassés dans la fabrique, sont organisés militairement. Traités comme des soldats industriels, ils sont placés sous la surveillance d'une hiérarchie complète de sous-officiers et d'officiers. Ils ne sont pas seulement les esclaves de la classe bourgeoise, du gouvernement bourgeois, mais encore, chaque jour, à chaque heure, les esclaves de la machine, du contremaître, et surtout du maître de la fabrique. Plus ce despotisme proclame hautement le profit comme son but unique, plus il est mesquin, odieux et exaspérant.

Moins le travail exige d'habileté et de force, c'est-à-dire plus l'industrie moderne progresse, plus le travail des hommes est supplanté par celui des femmes. Les distinctions d'âge et de sexe n'ont pas de validité sociale pour la classe ouvrière. Il n'y a plus que des instruments de travail, dont le prix varie suivant l'âge et le sexe.

Une fois que l'ouvrier a subi l'exploitation du fabricant et qu'il a reçu son salaire en argent comptant, il devient la proie d'autres membres de la bourgeoisie : du petit propriétaire, du prêteur sur gages. La petite bourgeoisie, les petits industriels, les marchands, les petits rentiers, les artisans et les paysans propriétaires tombent dans le prolétariat ; d'une part, parce que leurs petits capitaux ne leur permettant pas d'employer les procédés de la grande industrie, ils succombent dans leur concurrence avec les grands capitalistes ; d'autre part, parce que leur habileté spéciale est dépréciée par les nouveaux modes de production. De sorte que le prolétariat se recrute dans toutes les classes de la population.

Le prolétariat passe par différentes phases d'évolution. Sa lutte contre la bourgeoisie commence dès sa naissance.

D'abord la lutte est engagée par des ouvriers isolés, ensuite par les ouvriers d'une même fabrique, enfin par les ouvriers du même métier dans une localité, contre le bourgeois qui les exploite directement. Ils ne se contentent pas de diriger leurs attaques contre le mode bourgeois de production, ils les dirigent contre les instruments de production : ils détruisent les marchandises étrangères qui leur font concurrence, brisent les machines, brûlent les fabriques et s'efforcent de reconquérir la position perdue de l'artisan du Moyen Âge.

À ce moment du développement, le prolétariat forme une masse incohérente disséminée sur tout le pays et désunie par la concurrence. Si parfois les ouvriers s'unissent pour agir en masse compacte, cette action n'est pas encore le résultat de leur propre union, mais de celle de la bourgeoisie qui, pour atteindre ses fins politiques, doit mettre en branle le prolétariat tout entier, et qui, pour le moment, possède encore le pouvoir de le faire. Durant cette phase, les prolétaires ne combattent pas encore leurs propres ennemis, mais les ennemis de leurs ennemis, c'est-à-dire les restes de la monarchie absolue, les propriétaires fonciers, les bourgeois non industriels, les petits-bourgeois. Tout le mouvement historique est de la sorte concentré entre les mains de la bourgeoisie ; toute victoire remportée dans ces conditions est une victoire bourgeoise.

Or l'industrie, en se développant, grossit non seulement le nombre des prolétaires, mais les concentre en masses plus considérables ; les prolétaires augmentent en force et prennent conscience de leur force. Les intérêts, les conditions d'existence des prolétaires s'égalisent de plus en plus, à mesure que la machine efface toute différence dans le travail et presque partout réduit le salaire à un niveau également bas. La croissante concurrence des bourgeois entre eux et les crises commerciales qui en résultent rendent les salaires de plus en plus incertains ; le constant perfectionnement de la machine rend la position de l'ouvrier de plus en plus précaire ; les collisions individuelles entre l'ouvrier et le bourgeois prennent de plus en plus le caractère de collisions entre deux classes. Les ouvriers commencent par se coaliser contre les bourgeois pour le maintien de leurs salaires. Ils vont jusqu'à former des associations permanentes en prévision de ces luttes occasionnelles. Çà et là, la résistance éclate en émeute.

Parfois, les ouvriers triomphent ; mais c'est un triomphe éphémère. Le véritable résultat de leurs luttes est moins le succès immédiat que la solidarité croissante des travailleurs. Cette solidarisation est facilitée par l'accroissement des moyens de communication, qui permettent aux ouvriers de localités différentes d'entrer en relation. Or, il suffit de cette mise en contact pour transformer les nombreuses luttes locales qui partout revêtent le même caractère en une lutte nationale, en une lutte de classe. Mais toute lutte de classe est une lutte politique. Et l'union que les bourgeois du Moyen Âge mettaient des siècles à établir avec leurs chemins vicinaux, les prolétaires modernes l'établissent en quelques années par les chemins de fer.

L'organisation du prolétariat en classe, et par suite en parti politique, est sans cesse détruite par la concurrence que se font les ouvriers entre eux. Mais elle renaît toujours ; et toujours plus forte, plus ferme, plus formidable. Elle profite des divisions intestines des bourgeois pour les obliger à donner une garantie locale à certains intérêts de la classe ouvrière : par exemple la loi de dix heures de travail en Angleterre.

En général, les collisions dans la vieille société favorisent de diverses manières le développement du prolétariat. La bourgeoisie vit dans un état de guerre perpétuelle ; d'abord contre l'aristocratie, puis contre cette catégorie de la bourgeoisie dont les intérêts entrent en conflit avec les progrès de l'industrie, toujours, enfin, contre la bourgeoisie des pays étrangers. Dans toutes ces luttes, elle se voit forcée de faire appel au prolétariat, d'user de son concours et de l'entraîner dans le mouvement politique, en sorte que la bourgeoisie fournit aux prolétaires les éléments de sa propre éducation politique et sociale, c'est-à-dire des armes contre elle-même.

De plus, ainsi que nous venons de le voir, des fractions entières de la classe dominante sont précipitées dans le prolétariat, ou sont menacées, tout au moins, dans leurs conditions d'existence. Elles aussi apportent au prolétariat de nombreux éléments de progrès.

Enfin, au moment où la lutte des classes approche de l'heure décisive, le processus de dissolution de la classe régnante, de la société tout entière, prend un caractère si violent et si âpre qu'une fraction de la classe régnante s'en détache et se rallie à la classe révolutionnaire, à la classe qui représente l'avenir. De même que, jadis, une partie de la noblesse se rangea du côté de la bourgeoisie, de nos jours, une partie de la bourgeoisie fait cause commune avec le prolétariat, notamment cette partie des idéologues bourgeois parvenue à l'intelligence théorique du mouvement historique dans son ensemble.

De toutes les classes qui, à l'heure présente, se trouvent face à face avec la bourgeoisie, le prolétariat seul est une classe vraiment révolutionnaire. Les autres classes périclitent et périssent avec la grande industrie ; le prolétariat, au contraire, en est son produit tout spécial.

La classe moyenne, les petits fabricants, les détaillants, les artisans, les paysans combattent la bourgeoisie parce qu'elle compromet leur existence en tant que classe moyenne. Ils ne sont donc pas révolutionnaires, mais conservateurs ; qui plus est, ils sont réactionnaires ; ils demandent que l'histoire fasse machine arrière. S'ils agissent révolutionnairement, c'est par crainte de tomber dans le prolétariat : ils défendent alors leurs intérêts futurs et non leurs intérêts actuels ; ils abandonnent leur propre point de vue pour se placer du point de vue du prolétariat.

La voyoucratie des grandes villes, cette putréfaction passive, cette lie des plus basses couches de la société, est çà et là entraînée dans le mouvement par une révolution prolétarienne ; cependant, ses conditions de vie la prédisposeront plutôt à se vendre à la réaction.

Les conditions d'existence de la vieille société sont déjà détruites dans les conditions d'existence du prolétariat. Le prolétaire est sans propriété ; ses relations de famille n'ont rien de commun avec celles de la famille bourgeoise. Le travail industriel moderne, qui implique l'asservissement de l'ouvrier par le capital, aussi bien en Angleterre qu'en France, qu'en Amérique, qu'en Allemagne, a dépouillé le prolétaire de tout caractère national. Les lois, la morale, la religion sont pour lui autant de préjugés bourgeois derrière lesquels se cachent autant d'intérêts bourgeois.

Toutes les classes précédentes qui avaient conquis le pouvoir ont essayé de consolider leur situation acquise en soumettant la société à leur propre mode d'appropriation. Les prolétaires ne peuvent s'emparer des forces productives sociales qu'en abolissant leur propre mode d'appropriation et, par suite, le mode d'appropriation en vigueur jusqu'à nos jours. Les prolétaires n'ont rien à eux à assurer ; ils ont, au contraire, à détruire toute garantie privée, toute sécurité privée existantes.

Tous les mouvements historiques ont été, jusqu'ici, des mouvements de minorités au profit de minorités. Le mouvement prolétarien est le mouvement spontané de l'immense majorité au profit de l'immense majorité. Le prolétariat, la dernière couche de la société actuelle, ne peut se relever, se redresser, sans faire sauter toutes les couches superposées qui constituent la société officielle.

La lutte du prolétariat contre la bourgeoisie, bien qu'elle ne soit pas au fond une lutte nationale, en revêt cependant tout d'abord la forme. Il va sans dire que le prolétariat de chaque pays doit en finir, avant tout, avec sa propre bourgeoisie.

En esquissant à grands traits les phases du développement prolétarien, nous avons décrit l'histoire de la guerre civile, plus ou moins occulte, qui travaille la société jusqu'à l'heure où cette guerre éclate en une révolution ouverte, et où le prolétariat établit les bases de sa domination par le renversement violent de la bourgeoisie.

Toutes les sociétés antérieures, nous l'avons vu, ont reposé sur l'antagonisme de la classe oppressive et de la classe opprimée. Mais, pour opprimer une classe, il faut, au moins, pouvoir lui garantir les conditions d'existence qui lui permettent de vivre en esclave. Le serf, en pleine féodalité, parvenait à se faire membre de la commune; le bourgeois embryonnaire du Moyen Âge atteignait la position de bourgeois, sous le joug de l'absolutisme féodal. L'ouvrier moderne au contraire, loin de s'élever avec le progrès de l'industrie, descend toujours plus bas, au-dessous même du niveau des conditions de sa propre classe. Le travailleur tombe dans le paupérisme, et le paupérisme s'accroît plus rapidement encore que la population et la richesse. Il est donc manifeste que la bourgeoisie est incapable de remplir le rôle de classe régnante et d'imposer à la société, comme loi suprême, les conditions d'existence de sa classe. Elle ne peut régner, parce qu'elle ne peut plus assurer l'existence à son esclave, même dans les conditions de son esclavage, parce qu'elle est obligée de le laisser tomber dans une situation telle qu'elle doit le nourrir au lieu de s'en faire nourrir. La société ne peut plus exister sous sa domination, ce qui revient à dire que son existence est désormais incompatible avec celle de la société.

La condition essentielle d'existence et de suprématie pour la classe bourgeoise est l'accumulation de la richesse dans des mains privées, la formation et l'accroissement du capital; la condition du capital est le salariat. Le salariat repose exclusivement sur la concurrence des ouvriers entre eux. Le progrès de l'industrie, dont la bourgeoisie est l'agent passif et inconscient, remplace l'isolement des ouvriers par leur union révolutionnaire au moyen de l'association. Le développement de la grande industrie sape, sous les pieds de la bourgeoisie, le terrain même sur lequel elle a établi son système de production et d'appropriation. La bourgeoisie produit avant tout ses propres fossoyeurs. Sa chute et la victoire du prolétariat sont également inévitables.

II
Prolétaires et communistes

Quelle est la position des communistes vis-à-vis des prolétaires pris en masse ?

Les communistes ne forment pas un parti distinct opposé aux autres partis ouvriers.

Ils n'ont point d'intérêts qui les séparent du prolétariat en général.

Ils ne proclament pas de principes sectaires sur lesquels ils voudraient modeler le mouvement ouvrier.

Les communistes ne se distinguent des autres partis ouvriers que sur deux points :

1. Dans les différentes luttes nationales des prolétaires, ils mettent en avant et font valoir les intérêts communs du prolétariat.

2. Dans les différentes phases évolutives de la lutte entre prolétaires et bourgeois, ils représentent toujours et partout les intérêts du mouvement général.

Pratiquement, les communistes sont donc la section la plus résolue, la plus avancée de chaque pays, la section qui anime toutes les autres ; théoriquement, ils ont sur le reste du prolétariat l'avantage d'une intelligence nette des conditions, de la marche et des fins générales du mouvement prolétarien.

Le but immédiat des communistes est le même que celui de toutes les fractions du prolétariat : organisation des prolétaires en parti de classe, destruction de la suprématie bourgeoise, conquête du pouvoir politique par le prolétariat.

Les propositions théoriques des communistes ne reposent nullement sur des idées et des principes inventés ou découverts par tel ou tel réformateur du monde.

Elles ne sont que l'expression, en termes généraux, des conditions réelles d'une lutte de classes existante, d'un mouvement historique évoluant sous nos yeux. L'abolition d'une forme donnée de la propriété n'est pas le caractère distinctif du communisme.

La propriété a subi de constants changements, de continuelles transformations historiques.

La Révolution française, par exemple, abolit la propriété féodale en faveur de la propriété bourgeoise.

Le caractère distinctif du communisme n'est pas l'abolition de la propriété en général, mais l'abolition de la propriété bourgeoise.

Or, la propriété privée, la propriété bourgeoise moderne, est la dernière et la plus parfaite expression du mode de production et d'appropriation basé sur les antagonismes de classes, sur l'exploitation des uns par les autres.

En ce sens, les communistes peuvent résumer leur théorie dans cette proposition unique : abolition de la *propriété privée*.

On nous a reproché, à nous autres communistes, de vouloir abolir la propriété personnelle péniblement acquise par le travail, propriété que l'on déclare être la base de toute liberté, de toute activité, de toute indépendance individuelle.

La propriété personnelle, fruit du travail d'un homme ! Veut-on parler de la propriété du petit bourgeois, du petit paysan, forme de propriété antérieure à la propriété bourgeoise ? Nous n'avons que faire de l'abolir, le progrès de l'industrie l'a abolie, ou est en train de l'abolir. Ou bien veut-on parler de la propriété privée, de la propriété bourgeoise moderne ?

Est-ce que le travail salarié crée de la propriété pour le prolétaire ? Nullement. Il crée le capital, c'est-à-dire la propriété qui exploite le travail salarié, et qui ne peut s'accroître qu'à la condition de produire du nouveau travail salarié, afin de l'exploiter de nouveau. Dans sa forme présente, la propriété se meut entre les deux termes antinomiques : capital et travail. Examinons les deux côtés de cet antagonisme.

Être capitaliste signifie occuper non seulement une position personnelle, mais encore une position sociale dans le système de la production. Le capital est un produit collectif : il ne peut être mis en mouvement que par les efforts combinés de beaucoup de membres de la société, et même, en dernière analyse, que par les efforts combinés de tous les membres de la société.

Le capital n'est donc pas une force personnelle ; il est une force sociale.

Dès lors, quand le capital est transformé en propriété commune, appartenant à tous les membres de la société, ce n'est pas là une propriété personnelle transformée en propriété sociale. Il n'y a que le caractère social de la propriété qui soit transformé. Elle perd son caractère de propriété de classe.

Arrivons au travail salarié.

Le prix moyen du travail salarié est le minimum du salaire, c'est-à-dire la somme des moyens d'existence dont l'ouvrier a besoin pour vivre en ouvrier. Par conséquent, ce que l'ouvrier s'approprie par son activité est tout juste ce qui lui est nécessaire pour entretenir une maigre existence, et pour se reproduire.

Nous ne voulons en aucune façon abolir cette appropriation personnelle des produits du travail, indispensable à l'entretien et à la reproduction de la vie humaine, cette appropriation ne laissant aucun profit net qui donne du pouvoir sur le travail d'autrui. Ce que nous voulons, c'est supprimer ce triste mode d'appropriation qui fait que l'ouvrier ne vit que pour accroître le capital, et ne vit que juste autant que l'exigent les intérêts de la classe régnante.

Dans la société bourgeoise, le travail vivant n'est qu'un moyen d'accroître le travail accumulé. Dans la société communiste, le travail accumulé n'est qu'un moyen d'élargir, d'enrichir et d'embellir l'existence.

Dans la société bourgeoise, le passé domine le présent ; dans la société communiste, c'est le présent qui domine le passé. Dans la société bourgeoise, le capital est indépendant et personnel, tandis que l'individu agissant est dépendant et privé de personnalité.

C'est l'abolition d'un pareil état de choses que la bourgeoisie flétrit comme l'abolition de l'individualité et de la liberté. Et avec juste raison. Car il s'agit effectivement de l'abolition de l'individualité, de l'indépendance et de la liberté bourgeoises.

Par liberté, dans les conditions actuelles de la production bourgeoise, on entend la liberté du commerce, du libre-échange.

Mais avec le trafic, le trafic libre disparaît. Au reste, tous les grands mots sur le libre-échange, de même que toutes les forfanteries libérales de nos bourgeois, n'ont un sens que par contraste au commerce entravé, au bourgeois asservi du Moyen Âge ; ils n'ont aucun sens lorsqu'il s'agit de l'abolition, par les communistes, du trafic, des rapports de la production bourgeoise et de la bourgeoisie elle-même.

Vous êtes saisis d'horreur parce que nous voulons abolir la propriété privée. Mais, dans votre société, la propriété privée est abolie pour les neuf dixièmes de ses membres. C'est précisément parce qu'elle n'existe pas pour ces neuf dixièmes qu'elle existe pour vous. Vous nous reprochez donc de vouloir abolir une forme de propriété qui ne peut se constituer qu'à la condition de priver l'immense majorité de la société de toute propriété.

En un mot, vous nous accusez de vouloir abolir votre propriété à vous. En vérité, c'est bien là notre intention.

Dès que le travail ne peut plus être converti en capital, en argent, en propriété foncière, bref, en pouvoir social capable d'être monopolisé, c'est-à-dire dès que la propriété individuelle ne peut plus se transformer en propriété bourgeoise, vous déclarez que l'individualité est supprimée.

Vous avouez donc que, lorsque vous parlez de l'individu, vous n'entendez parler que du bourgeois. Et cet individu-là, sans contredit, doit être supprimé.

Le communisme n'enlève à personne le pouvoir de s'approprier sa part des produits sociaux ; il n'ôte que le pouvoir d'assujettir, à l'aide de cette appropriation, le travail d'autrui.

On a objecté encore qu'avec l'abolition de la propriété privée toute activité cesserait, qu'une paresse générale s'emparerait du monde.

Si cela était, il y a beau jour que la société bourgeoise aurait succombé à la fainéantise, puisque ceux qui y travaillent ne gagnent pas et que ceux qui y gagnent ne travaillent pas. Toute l'objection se réduit à cette tautologie qu'il n'y a plus de travail salarié là où il n'y a plus de capital.

Les accusations portées contre le mode communiste de production et d'appropriation des produits matériels ont été également portées contre la production et l'appropriation intellectuelles. De même que, pour le bourgeois, la disparition de la propriété de classe équivaut à la disparition de toute propriété, de même la disparition de la culture intellectuelle de classe signifie, pour lui, la disparition de toute culture intellectuelle.

La culture, dont il déplore la perte, n'est pour l'immense majorité que le façonnement à devenir machine.

Mais ne nous querellez pas tant que vous appliquerez à l'abolition de la propriété bourgeoise l'étalon de vos notions bourgeoises de liberté, de culture, de droit, etc. Vos idées sont elles-mêmes les produits des rapports de la production et de la propriété bourgeoises, comme votre droit n'est que la volonté de votre classe érigée en loi, volonté dont le contenu est déterminé par les conditions matérielles d'existence de votre classe.

La conception intéressée qui vous fait ériger en lois éternelles de la nature et de la raison les rapports sociaux qui naissent de votre mode de production – rapports sociaux transitoires qui surgissent et disparaissent au cours de la production –, cette conception, vous la partagez avec toutes les classes jadis régnantes et disparues aujourd'hui. Ce que vous concevez pour la propriété antique, ce que vous comprenez pour la propriété féodale, il vous est défendu de l'admettre pour la propriété bourgeoise.

Vouloir abolir la famille ! Jusqu'aux plus radicaux qui s'indignent de cet infâme dessein des communistes.

Sur quelle base repose la famille bourgeoise de notre époque ? Sur le capital, le gain individuel. La famille, à l'état complet, n'existe que pour la bourgeoisie ; mais elle trouve son complément dans la suppression forcée de toute famille pour le prolétaire et dans la prostitution publique.

La famille bourgeoise s'évanouit naturellement avec l'évanouissement de son complément nécessaire, et l'un et l'autre disparaissent avec la disparition du capital.

Nous reprochez-vous de vouloir abolir l'exploitation des enfants par leurs parents ? Nous avouons le crime.

Mais nous brisons, dites-vous, les liens les plus sacrés, en substituant à l'éducation de la famille l'éducation sociale.

Et votre éducation à vous n'est-elle pas, elle aussi, déterminée par la société ? Par les conditions sociales dans lesquelles vous élevez vos enfants, par l'intervention directe ou indirecte de la société, à l'aide des écoles, etc. ? Les communistes n'inventent pas cette ingérence de la société dans l'éducation ; ils ne cherchent qu'à en changer le caractère et à arracher l'éducation à l'influence de la classe régnante.

Les déclamations bourgeoises sur la famille et l'éducation, sur les doux liens qui unissent l'enfant à ses parents, deviennent de plus en plus écœurantes à mesure que la grande industrie détruit tout lien de famille pour le prolétaire et transforme les enfants en simples objets de commerce, en simples instruments de travail.

Mais de la bourgeoisie tout entière s'élève une clameur : vous autres, communistes, vous voulez introduire la communauté des femmes !

Pour le bourgeois, sa femme n'est rien qu'un instrument de production. Il entend dire que les instruments de production doivent être mis en commun et il conclut naturellement qu'il y aura communauté des femmes.

Il ne soupçonne pas qu'il s'agit précisément d'assigner à la femme un autre rôle que celui de simple instrument de production.

Rien de plus grotesque, d'ailleurs, que l'horreur ultramorale qu'inspire à nos bourgeois la prétendue communauté officielle des femmes chez les communistes. Les communistes n'ont pas besoin d'introduire la communauté des femmes. Elle a presque toujours existé.

Nos bourgeois, non contents d'avoir à leur disposition les femmes et les filles de leurs prolétaires, sans parler de la prostitution officielle, trouvent un plaisir singulier à se cocufier mutuellement.

Le mariage bourgeois est, en réalité, la communauté des femmes mariées. Tout au plus pourrait-on accuser les communistes de vouloir mettre à la place d'une communauté de femmes hypocrite et dissimulée une autre qui serait franche et officielle. Il est évident, du reste, qu'avec l'abolition des rapports de production actuels, la communauté des femmes qui en dérive, c'est-à-dire la prostitution officielle et non officielle, disparaîtra.

En outre, on accuse les communistes de vouloir abolir la patrie, la nationalité.

Les ouvriers n'ont pas de patrie. On ne peut leur ravir ce qu'ils n'ont pas. Comme le prolétariat de chaque pays doit en premier lieu conquérir le pouvoir politique, s'ériger en classe maîtresse de la nation, il est encore par là national lui-même, quoique nullement dans le sens bourgeois.

Déjà, les démarcations et les antagonismes nationaux des peuples disparaissent de plus en plus avec le développement de la bourgeoisie, la liberté du commerce et le marché mondial, avec l'uniformité de la production industrielle et des conditions d'existence qui y correspondent.

L'avènement du prolétariat les fera disparaître plus vite encore. L'action commune des différents prolétariats, dans les pays civilisés, tout au moins, est une des premières conditions de leur émancipation.

Abolissez l'exploitation de l'homme par l'homme, et vous abolissez l'exploitation d'une nation par une autre nation.

Lorsque l'antagonisme des classes à l'intérieur des nations aura disparu, l'hostilité de nation à nation disparaîtra.

Quant aux accusations portées contre les communistes au nom de la religion, de la philosophie et de l'idéologie en général, elles ne méritent pas un examen approfondi.

Est-il besoin d'un esprit bien profond pour comprendre que les conceptions, les notions et les vues, en un mot la conscience de l'homme, changent avec tout changement survenu dans ses relations sociales, dans son existence sociale ?

Que démontre l'histoire de la pensée, si ce n'est que la production intellectuelle se transforme avec la production matérielle ? Les idées dominantes d'une époque n'ont jamais été que les idées de la classe dominante.

Lorsqu'on parle d'idées qui révolutionnent une société tout entière, on énonce seulement le fait que, dans le sein de la vieille société, les éléments d'une nouvelle société se sont formés et que la dissolution des vieilles idées marche de pair avec la dissolution des anciennes relations sociales.

Quand l'ancien monde était à son déclin, les vieilles religions furent vaincues par la religion chrétienne. Quand, au XVIIIe siècle, les idées chrétiennes cédèrent la place aux idées philosophiques, la société féodale livrait sa dernière bataille à la bourgeoisie, alors révolutionnaire. Les idées de liberté religieuse et de liberté de conscience ne firent que proclamer le règne de la libre concurrence dans le domaine de la connaissance.

« Sans doute, dira-t-on, les idées religieuses, morales, philosophiques, politiques et juridiques, se sont modifiées au cours du développement historique. Mais la religion, la morale, la philosophie se maintenaient toujours à travers ces transformations.

« Il y a de plus des vérités éternelles, telles que la liberté, la justice, etc., qui sont communes à toutes les conditions sociales. Or, le communisme abolit les vérités éternelles, il abolit la religion et la morale au lieu de les constituer sur une nouvelle base, ce qui est contradictoire à tout le développement historique antérieur. »

À quoi se réduit cette objection ? L'histoire de toute société se résume dans le développement des antagonismes des classes, antagonismes qui ont revêtu des formes différentes à différentes époques.

Mais, quelle qu'ait été la forme revêtue par ces antagonismes, l'exploitation d'une partie de la société par l'autre est un fait commun à tous les siècles antérieurs. Donc, rien d'étonnant à ce que la conscience sociale de tous les âges, en dépit de toute divergence et de toute diversité, se soit toujours mue dans certaines formes communes, dans des formes de conscience qui ne se dissoudront complètement qu'avec l'entière disparition de l'antagonisme des classes.

La révolution communiste est la rupture la plus radicale avec les rapports de propriété traditionnels ; rien d'étonnant à ce que, dans le cours de son développement, elle rompe de la façon la plus radicale avec les vieilles idées traditionnelles.

Cependant laissons là les objections faites par la bourgeoisie au communisme.

Ainsi que nous l'avons vu plus haut, la première étape dans la révolution ouvrière est la constitution du prolétariat en classe régnante, la conquête du pouvoir public par la démocratie.

Le prolétariat se servira de sa suprématie politique pour arracher petit à petit tout capital à la bourgeoisie, pour centraliser tous les instruments de production entre les mains de l'État, c'est-à-dire du prolétariat organisé en classe régnante, et pour augmenter au plus vite les masses des forces productives disponibles.

Cela naturellement ne pourra s'accomplir, au début, que par une violation despotique des droits de propriété et des rapports de production bourgeoise, c'est-à-dire par des mesures qui, au point de vue économique, paraîtront insuffisantes et insoutenables, mais qui, au cours du mouvement, se dépassent elles-mêmes et sont indispensables comme moyen de révolutionner le mode de production tout entier.

Ces mesures, bien entendu, seront différentes dans les différents pays.

Cependant, pour les pays les plus avancés, les mesures suivantes pourront assez généralement être applicables :

1. Expropriation de la propriété foncière et confiscation de la rente foncière au profit de l'État.

2. Impôt fortement progressif.

3. Abolition de l'héritage.

4. Confiscation de la propriété de tous les émigrants et de tous les rebelles.

5. Centralisation du crédit dans les mains de l'État, au moyen d'une banque nationale, avec capital de l'État, et avec le monopole exclusif.

6. Centralisation dans les mains de l'État de tous les moyens de transport.

7. Augmentation des manufactures nationales et des

instruments de production; défrichement des terrains incultes et amélioration des terres cultivées d'après un système général.

8. Travail obligatoire pour tous; organisation d'armées industrielles, particulièrement pour l'agriculture.

9. Combinaison du travail agricole et industriel; mesures tendant à faire disparaître la distinction entre ville et campagne.

10. Éducation publique et gratuite de tous les enfants; abolition du travail des enfants dans les fabriques tel qu'il est pratiqué aujourd'hui. Combinaison de l'éducation avec la production matérielle, etc.

Les antagonismes des classes une fois disparus dans le cours du développement, et toute la production concentrée dans les mains des individus associés, le pouvoir public perd son caractère politique. Le pouvoir politique, à proprement parler, est le pouvoir organisé d'une classe pour l'oppression d'une autre. Si le prolétariat, dans sa lutte contre la bourgeoisie, se constitue forcément en classe, s'il s'érige par une révolution en classe régnante et, comme classe régnante, détruit violemment les anciens rapports de production, il détruit, en même temps que ces rapports de production, les conditions d'existence de l'antagonisme des classes; il détruit les classes en général et, par là, sa propre domination comme classe.

À la place de l'ancienne société bourgeoise, avec ses classes et ses antagonismes de classes, surgit une association où le libre développement de chacun est la condition du libre développement pour tous.

III
Littérature socialiste et communiste

1. Le socialisme réactionnaire
a) Le socialisme féodal

Par leur position historique, les aristocraties française et anglaise se trouvèrent appelées à lancer des libelles contre la société bourgeoise. Dans la révolution française de 1830, dans le mouvement réformiste anglais, elles avaient succombé une fois de plus sous les coups du parvenu abhorré. Pour elles, il ne pouvait plus désormais être question d'une lutte politique sérieuse. Il ne leur restait plus que la lutte littéraire. Or, dans le domaine littéraire aussi, la vieille phraséologie de la Restauration était devenue impossible. Pour se créer des sympathies, il fallait que l'aristocratie fît semblant de perdre de vue ses intérêts propres et qu'elle dressât son acte d'accusation contre la bourgeoisie, dans le seul intérêt de la classe ouvrière exploitée. Elle se ménagea de la sorte la satisfaction de faire des chansons satiriques sur son nouveau maître et de fredonner à ses oreilles des prophéties grosses de malheurs.

Ainsi naquit le socialisme féodal, mélange de jérémiades et de pasquinades, d'échos du passé et de vagissements de l'avenir. Si parfois sa critique mordante et spirituelle frappa au cœur la bourgeoisie, son impuissance absolue à comprendre la marche de l'histoire moderne finit toujours par le rendre ridicule.

En guise de drapeau, ces messieurs arboraient la besace du mendiant, afin d'attirer à eux le peuple ; mais, dès que le peuple accourut, il aperçut leurs derrières ornés du vieux blason féodal et se dispersa avec de grands et irrévérencieux éclats de rire.

Une partie des légitimistes français et la jeune Angleterre ont donné au monde ce réjouissant spectacle.

Quand les champions de la féodalité démontrent que le mode d'exploitation de la féodalité était autre que celui de la bourgeoisie, ils n'oublient qu'une chose : c'est qu'elle exploitait dans des conditions tout à fait différentes et aujourd'hui surannées. Quand ils font remarquer que, sous leur régime, le prolétariat moderne n'existait pas, ils oublient que la bourgeoisie est précisément un rejeton fatal de la société féodale.

Ils cachent si peu, d'ailleurs, le caractère réactionnaire de leur critique que leur principal chef d'accusation contre la bourgeoisie est justement d'avoir créé, sous son régime, une classe qui fera sauter tout l'ancien ordre social.

Aussi n'est-ce pas tant d'avoir produit un prolétariat qu'ils imputent à crime à la bourgeoisie que d'avoir produit un prolétariat révolutionnaire.

Dans la lutte politique, ils prennent donc une part active à toutes les mesures violentes contre la classe ouvrière. Et dans la vie de tous les jours, ils savent, en dépit de leur phraséologie boursouflée, s'abaisser pour ramasser les fruits d'or qui tombent de l'arbre de l'industrie et troquer toutes les vertus chevaleresques, l'honneur, l'amour et la fidélité contre la haine, le sucre de betterave et l'eau-de-vie.

De même que le prêtre et le seigneur féodal marchèrent jadis la main dans la main, voyons-nous aujourd'hui le socialisme clérical marcher côte à côte avec le socialisme féodal.

Rien n'est plus facile que de recouvrir d'un vernis de socialisme l'ascétisme chrétien. Le christianisme, lui aussi, ne s'est-il pas élevé contre la propriété privée, le mariage, l'État ? Et à leur place n'a-t-il pas prêché la charité et les guenilles, le célibat et la mortification de la chair, la vie monastique et l'Église ? Le socialisme chrétien n'est que de l'eau bénite avec laquelle le prêtre consacre le mécontentement de l'aristocratie.

b) Le socialisme petit-bourgeois

L'aristocratie féodale n'est pas la seule classe ruinée par la bourgeoisie, elle n'est pas la seule classe dont les conditions d'existence s'étiolaient et dépérissaient dans la société bourgeoise moderne. Les petits bourgeois et les petits paysans du Moyen Âge étaient les précurseurs de la bourgeoisie moderne. Dans les pays où le commerce et l'industrie sont peu développés, cette classe continue à végéter à côté de la bourgeoisie qui s'épanouit.

Dans les pays où la civilisation moderne est florissante, il s'est formé une nouvelle classe de petits bourgeois qui oscillent entre le prolétariat et la bourgeoisie ;

partie complémentaire de la société bourgeoise, elle se constitue toujours de nouveau. Mais les individus qui la composent se voient sans cesse précipités dans le prolétariat, par suite de la concurrence, et, qui plus est, avec la marche progressive de la grande production, ils voient approcher l'heure où ils disparaîtront totalement comme fraction indépendante de la société moderne, et où ils seront remplacés dans le commerce, la manufacture et l'agriculture par des contremaîtres, des garçons de boutiques et des laboureurs.

Dans les pays comme la France, où les paysans forment bien au-delà de la moitié de la population, il était naturel que des écrivains, prenant fait et cause pour le prolétariat contre la bourgeoisie, devaient critiquer le régime bourgeois et défendre le parti ouvrier au point de vue du petit bourgeois et du paysan. C'est ainsi que se forma le socialisme petit-bourgeois. Sismondi est le chef de cette littérature, aussi bien pour l'Angleterre que pour la France.

Ce socialisme analysa avec beaucoup de pénétration les contradictions inhérentes aux rapports de production modernes. Il mit à nu les hypocrites apologies des économistes. Il démontra d'une façon irréfutable les effets meurtriers de la machine et de la division du travail, la concentration des capitaux et de la propriété foncière, la surproduction, les crises, la misère du prolétariat, l'anarchie dans la production, la criante disproportion dans la distribution des richesses, la guerre industrielle d'extermination des nations entre elles, la dissolution des vieilles mœurs, des vieilles relations familiales, des vieilles nationalités.

Le but positif, toutefois, de ce socialisme des petits bourgeois est, soit de rétablir les anciens moyens de production et d'échange, et, avec eux, les anciens rapports de propriété et l'ancienne société, soit de faire rentrer de force les moyens modernes de production et d'échange dans le cadre étroit des anciens rapports de production qui ont été brisés et fatalement brisés par eux. Dans l'un et l'autre cas, ce socialisme est tout à la fois réactionnaire et utopique.

Pour la manufacture, le système des corporations, pour l'agriculture, des relations patriarcales ; voilà son dernier mot.

Finalement, quand les faits historiques l'eurent tout à fait désenivrée, cette forme de socialisme s'est abandonnée à une lâche mélancolie.

c) Le socialisme allemand ou le « vrai » socialisme

La littérature socialiste et communiste de la France, née sous la pression d'une bourgeoisie régnante, est l'expression littéraire de la révolte contre ce règne. Elle fut introduite en Allemagne au moment où la bourgeoisie commençait sa lutte contre l'absolutisme féodal.

Des philosophes, des demi-philosophes et des beaux esprits allemands se jetèrent avidement sur cette littérature, mais ils oublièrent qu'avec l'importation de la littérature française en Allemagne, il n'y avait pas eu en même temps importation des conditions sociales de la France. Par rapport aux conditions allemandes, la littérature française perdit toute signification pratique immédiate et prit un caractère purement littéraire. Elle ne devait plus paraître qu'une spéculation oiseuse sur la *réalisation de la nature humaine*. C'est ainsi que, pour les philosophes allemands du XVIIIᵉ siècle, les revendications de la première Révolution française n'étaient que les revendications de la « raison pratique » en général, et la manifestation de la volonté des bourgeois révolutionnaires de la France ne signifiait, à leurs yeux, que la manifestation des lois de la volonté pure, de la volonté telle qu'elle doit être, de la véritable volonté humaine.

Le travail des gens de lettres allemands se bornait à mettre d'accord les idées françaises avec leur vieille conscience philosophique, ou plutôt à s'approprier les idées françaises en les accommodant à leur point de vue philosophique.

Ils se les approprièrent comme on s'assimile une langue étrangère, par la traduction.

On sait comment les moines superposèrent aux manuscrits des auteurs classiques du paganisme les absurdes légendes des saints catholiques. Les gens de lettres allemands agirent en sens inverse à l'égard de la littérature française. Ils glissèrent leurs non-sens sous l'original français. Par exemple, sous la critique française des fonctions économiques de l'argent, ils écrivirent « aliénation de l'être humain », sous la critique française de l'État bourgeois, ils écrivirent « élimination de la catégorie de l'universalité abstraite », et ainsi de suite.

L'introduction de cette phraséologie philosophique au milieu des développements français, ils la baptisèrent : « philosophie de l'action », « vrai socialisme », « science allemande du socialisme », « base philosophique du socialisme », etc.

De cette façon, on émascula complètement la littérature socialiste et communiste française. Et, parce qu'elle cessa entre les mains des Allemands d'être l'expression de la lutte d'une classe contre une autre, ceux-ci se félicitèrent de s'être élevés au-dessus de *l'étroitesse française* et d'avoir défendu non pas de vrais besoins, mais le « besoin du vrai » ; d'avoir défendu non pas les intérêts du prolétaire, mais les intérêts de l'être humain, de l'homme en général, de l'homme qui n'appartient à aucune classe ni à aucune réalité et qui n'existe que dans le ciel embrumé de la fantaisie philosophique.

Ce socialisme allemand, qui prenait si solennellement au sérieux ses maladroits exercices d'écolier et qui les tambourinait à la façon des saltimbanques, perdit cependant peu à peu son innocence de pédant.

La lutte de la bourgeoisie allemande et principalement de la bourgeoisie prussienne contre la monarchie absolue et féodale, en un mot, le mouvement libéral, devint plus sérieux.

De la sorte, le *vrai* socialisme eut l'occasion tant souhaitée d'opposer au mouvement politique les réclamations socialistes. Il put lancer les anathèmes traditionnels contre le libéralisme, contre l'État représentatif, contre la concurrence bourgeoise, contre la liberté bourgeoise de la presse, contre le droit bourgeois, contre la liberté et l'égalité bourgeoises ; il put prêcher aux masses qu'elles n'avaient rien à gagner, mais au contraire tout à perdre, à ce mouvement bourgeois. Le socialisme allemand oublia, bien à propos, que la critique française, dont il était le niais écho, présupposait la société bourgeoise moderne avec les conditions matérielles d'existence qui y correspondent et une constitution politique conforme — choses précisément que, pour l'Allemagne, il s'agissait encore de conquérir.

Pour les gouvernements absolus, avec leur cortège de prêtres, de pédagogues, de hobereaux et de bureaucrates, ce socialisme servit d'épouvantail pour faire peur à la bourgeoisie qui se dressait menaçante.

Il compléta, par son hypocrisie doucereuse, les amers coups de fouet et les balles que ces mêmes gouvernements administrèrent aux ouvriers allemands qui se soulevaient.

Si le *vrai* socialisme devint ainsi une arme entre les mains des gouvernements, il représentait directement, en outre, l'intérêt réactionnaire, l'intérêt du petit-bourgeois. La classe des petits-bourgeois léguée par le XVIe siècle, et depuis lors sans cesse renaissante sous des formes diverses, constitue pour l'Allemagne la vraie base sociale de l'état de choses existant.

La maintenir, c'est maintenir les conditions allemandes actuelles. La suprématie industrielle et politique de la bourgeoisie menace cette classe de destruction certaine, par la concentration des capitaux, d'une part, et par le développement d'un prolétariat révolutionnaire, d'autre part. Le vrai socialisme devait tuer d'une pierre ces deux oiseaux. Il se propagea comme une épidémie.

Le vêtement tissé avec les fils immatériels de la spéculation, brodé de fleurs de rhétorique et tout saturé d'une rosée sentimentale, ce vêtement transcendant, dans lequel les socialistes allemands enveloppèrent leurs quelques maigres « vérités éternelles », ne fit qu'activer la vente de leur marchandise auprès d'un pareil public.

De son côté, le socialisme allemand comprit de mieux en mieux que c'était sa vocation d'être le représentant pompeux de cette petite bourgeoisie.

Il proclama la nation allemande la nation normale, et le philistin allemand l'homme normal. À toutes les infamies de cet homme normal, il donna un sens occulte, un sens supérieur et socialiste qui les faisait tout le contraire de ce qu'elles étaient. Il alla jusqu'au bout, en s'élevant contre la tendance « brutalement destructive » du communisme et en déclarant que, impartial, il planait au-dessus de toutes les luttes de classes.

À quelques exceptions près, les publications prétendues socialistes et communistes qui circulent en Allemagne [en 1847] appartiennent à cette sale et énervante littérature *.

2. Le socialisme conservateur ou bourgeois

Une partie de la bourgeoisie cherche à porter remède aux maux sociaux dans le but d'assurer l'existence de la société bourgeoise.

Dans cette catégorie se rangent les économistes, les philanthropes, les humanitaires, les améliorateurs du sort de la classe ouvrière, les organisateurs de la bienfaisance, les protecteurs des animaux, les fondateurs des sociétés

---

* La tourmente révolutionnaire de 1848 a balayé toute cette pitoyable école et enlevé à ses partisans toute envie de faire encore du socialisme. Le principal représentant et le type classique de cette école est M. Karl Grün. (Note de F. Engels.)

de tempérance, les réformateurs en chambre de tout acabit. Et l'on est allé jusqu'à élaborer ce socialisme bourgeois en systèmes complets.

Citons, comme exemple, la *Philosophie de la misère* de Proudhon.

Les socialistes bourgeois veulent les conditions de vie de la société moderne sans les luttes et les dangers qui en dérivent fatalement. Ils veulent la société actuelle, mais avec élimination des éléments qui la révolutionnent et la dissolvent. Ils veulent la bourgeoisie sans le prolétariat. La bourgeoisie, comme de juste, se représente le monde où elle domine comme le meilleur des mondes possibles. Le socialisme bourgeois élabore cette représentation consolante en système ou en demi-système. Lorsqu'il somme le prolétariat de réaliser ces systèmes et de faire son entrée dans la nouvelle Jérusalem, il ne fait pas autre chose au fond que de l'engager à s'en tenir à la société actuelle, mais à se débarrasser de sa conception haineuse de cette société.

Une autre forme de ce socialisme, moins systématique, mais plus pratique, essaya de dégoûter les ouvriers de tout mouvement révolutionnaire, en leur démontrant que ce n'était pas tel ou tel changement politique, mais seulement une transformation des rapports de la vie matérielle et des conditions économiques qui pouvaient leur profiter. Notez que, par transformation des rapports matériels de la société, ce socialisme n'entend pas parler de l'abolition des rapports de production bourgeois, mais uniquement de réformes administratives s'accomplissant sur la base même de la production bourgeoise, qui, par conséquent, n'affectent pas les relations du Capital et du Salariat et qui, dans les meilleurs cas, ne font que diminuer les frais et simplifier le travail administratif du gouvernement bourgeois.

Le socialisme bourgeois n'atteint son expression adéquate que lorsqu'il devient une simple figure de rhétorique.

Libre échange ! dans l'intérêt de la classe ouvrière ; droits protecteurs ! dans l'intérêt de la classe ouvrière ; prisons cellulaires ! dans l'intérêt de la classe ouvrière : voilà son dernier mot, le seul mot dit sérieusement par le socialisme bourgeois.

Car le socialisme bourgeois tient tout entier dans cette phrase : les bourgeois sont des bourgeois dans l'intérêt de la classe ouvrière.

3. Socialisme et communisme critico-utopiques

Il ne s'agit pas ici de la littérature qui, dans toutes les grandes révolutions modernes, a formulé les revendications du prolétariat (les écrits de Babeuf, etc.).

Les premières tentatives directes du prolétariat pour faire prévaloir ses propres intérêts de classe, faites en un temps d'effervescence générale, pendant la période du renversement de la société féodale, échouèrent nécessairement, aussi bien à cause de l'état embryonnaire du prolétariat lui-même qu'à cause de l'absence des conditions matérielles de son émancipation, conditions qui ne pouvaient être produites que sous l'ère bourgeoise. La littérature révolutionnaire qui accompagnait ces premiers mouvements du prolétariat eut forcément un caractère réactionnaire. Elle préconise un ascétisme général et un grossier égalitarisme.

Les systèmes socialistes et communistes proprement dits, les systèmes de Saint-Simon, de Fourier, d'Owen, etc., font leur apparition dans la première période de la lutte entre le prolétariat et la bourgeoisie, période décrite ci-dessus. (Voir plus haut le chapitre « Bourgeois et Prolétaires ».)

Les inventeurs de ces systèmes se rendent bien compte de l'antagonisme des classes, ainsi que de l'action des éléments dissolvants dans la société dominante elle-même. Mais ils n'aperçoivent, du côté du prolétariat, aucune action historique, aucun mouvement politique qui lui soient propres.

Comme le développement de l'antagonisme des classes marche de pair avec le développement de l'industrie, ils ne trouvent pas davantage les conditions matérielles de l'émancipation du prolétariat et se mettent en quête d'une science sociale, de lois sociales, dans le but de créer ces conditions.

L'activité sociale doit céder la place à leur activité cérébrale personnelle, les conditions historiques de l'émancipation à des conditions fantastiques, l'organisation graduelle et spontanée du prolétariat en classe à une organisation fabriquée de toutes pièces par eux-mêmes. L'histoire future du monde se résout pour eux dans la propagande et la mise en pratique de leurs plans de société.

Dans la formation de leurs plans, toutefois, ils ont la conscience de défendre avant tout les intérêts de la classe ouvrière, parce qu'elle est la classe la plus souffrante. La classe ouvrière n'existe pour eux que sous cet aspect de la classe la plus souffrante.

Mais, ainsi que le comportent la forme peu développée de la lutte des classes et leur propre position sociale, ils se considèrent bien au-dessus de tout antagonisme des classes. Ils désirent améliorer les conditions matérielles de la vie de tous les membres de la société, même des plus privilégiés. Par conséquent, ils ne cessent de faire appel à la société tout entière sans distinction, ou plutôt ils s'adressent de préférence à la classe régnante. Puisque, aussi bien, il suffit de comprendre leur système pour reconnaître que c'est le meilleur de tous les plans possibles de la meilleure des sociétés possibles.

Ils repoussent donc toute action politique et surtout toute action révolutionnaire ; ils cherchent à atteindre leur but par des moyens paisibles et essayent de frayer un chemin au nouvel évangile social par la force de l'exemple, par des expériences en petit, condamnées d'avance à l'insuccès.

La peinture fantastique de la société future, faite à une époque où le prolétariat, peu développé encore, envisage sa propre position d'une manière fantastique, correspond aux premières aspirations instinctives des ouvriers vers une transformation complète de la société.

Mais les écrits socialistes et communistes renferment aussi des éléments critiques. Ils attaquent la société existante à ses bases. Ils ont fourni, par conséquent, dans leur temps, des matériaux d'une grande valeur pour éclairer les ouvriers. Leurs propositions positives relatives à la société future, telles que la suppression de la distinction entre ville et campagne, l'abolition de la famille, du gain privé et du travail salarié, la proclamation de l'harmonie sociale et la transformation de l'État en une simple administration de la production, toutes ces propositions ne font qu'indiquer la disparition de l'antagonisme des classes, antagonisme qui commence seulement à se dessiner et dont les faiseurs de systèmes ne connaissent encore que les premières formes indistinctes et indéterminées. Aussi ces propositions n'ont-elles encore qu'un sens purement utopique.

L'importance du socialisme et du communisme critico-utopiques est en raison inverse du développement historique. À mesure que la lutte des classes s'accentue et prend une forme, ce fantastique dédain pour la lutte, cette fantastique opposition à la lutte perdent toute valeur pratique, toute justification théorique. C'est pourquoi si, à beaucoup d'égards, les fondateurs de ces systèmes étaient des révolutionnaires, les sectes formées par leurs disciples sont toujours réactionnaires, car ces disciples s'obstinent à opposer les vieilles conceptions des maîtres à l'évolution historique du prolétariat. Ils cherchent donc et, en cela, ils sont conséquents, à émousser la lutte des classes et à concilier les antagonismes. Ils rêvent toujours la réalisation expérimentale de leurs utopies sociales, l'établissement de phalanstères isolés, la création de colonies à l'intérieur et la fondation d'une petite Icarie* – édition in-douze de la *Nouvelle Jérusalem* ; et,

---

* *Home-colonies* (colonies à l'intérieur) : Owen appelle ainsi ses sociétés communistes modèles. Phalanstère était le nom des palais sociaux dans les plans de Fourier. On appelait Icarie le pays dont Cabet décrivait les institutions communistes. (Note de F. Engels.)

pour donner une réalité à tous ces châteaux en Espagne, ils se voient forcés de faire appel au cœur et à la caisse des bourgeois. Petit à petit, ils tombent dans la catégorie des socialistes réactionnaires ou conservateurs dépeints plus haut et ne s'en distinguent plus que par un pédantisme plus systématique et une foi superstitieuse et fanatique dans l'efficacité miraculeuse de leur science sociale.

Ils s'opposent donc avec acharnement à toute action politique de la classe ouvrière, une pareille action ne pouvant provenir, à leur avis, que d'un aveugle manque de foi dans le nouvel évangile.

Les owenistes en Angleterre, les fouriéristes en France réagissent, là contre les chartistes, ici contre les réformistes.

IV
Position des communistes vis-à-vis des différents partis d'opposition

D'après ce que nous avons dit plus haut (voir chapitre II), la position des communistes vis-à-vis des partis ouvriers déjà constitués s'explique d'elle-même, et, partant, leur position vis-à-vis des chartistes en Angleterre et des réformateurs agraires dans l'Amérique du Nord.

Ils combattent pour les intérêts et les buts immédiats de la classe ouvrière ; mais dans le mouvement du présent, ils défendent et représentent en même temps l'avenir du mouvement. En France, les communistes se rallient au Parti démocrate-socialiste* contre la bourgeoisie conservatrice et radicale, tout en se réservant le droit de critiquer les phrases et les illusions léguées par la tradition révolutionnaire.

En Suisse, ils appuient les radicaux, sans méconnaître que ce parti se compose d'éléments contradictoires, moitié de démocrates socialistes, dans l'acception française du mot, moitié de bourgeois radicaux.

---

* Ce qu'on appelait alors en France le Parti démocrate-socialiste était représenté en politique par Ledru-Rollin et dans la littérature par Louis Blanc ; il était donc à cent lieues de la démocratie socialiste allemande actuelle. (Note de F. Engels.)

En Pologne, les communistes soutiennent le parti qui voit, dans une révolution agraire, la condition de l'affranchissement national, c'est-à-dire le parti qui fit la révolution de Cracovie en 1846.

En Allemagne, le Parti communiste lutte d'accord avec la bourgeoisie, toutes les fois que la bourgeoisie agit révolutionnairement contre la monarchie absolue, la propriété foncière féodale et la petite bourgeoisie.

Mais, à aucun moment, ce parti ne néglige d'éveiller chez les ouvriers une conscience claire et nette de l'antagonisme profond qui existe entre la bourgeoisie et le prolétariat, afin que, l'heure venue, les ouvriers allemands sachent convertir les conditions politiques et sociales, créées par le régime bourgeois, en autant d'armes contre la bourgeoisie afin que, sitôt détruites les classes réactionnaires de l'Allemagne, la lutte puisse s'engager contre la bourgeoisie elle-même.

C'est vers l'Allemagne surtout que se tourne l'attention des communistes, parce que l'Allemagne se trouve à la veille d'une révolution bourgeoise, et parce qu'elle accomplira cette révolution dans des conditions plus avancées de la civilisation européenne et avec un prolétariat infiniment plus développé que l'Angleterre et la France n'en possédaient au XVIIe et au XVIIIe siècle, et que, par conséquent, la révolution bourgeoise allemande ne saurait être que le court prélude d'une révolution prolétarienne.

En somme, les communistes appuient partout tout mouvement révolutionnaire contre l'ordre de choses social et politique existant.

Dans tous ces mouvements, ils mettent en avant la question de la propriété, quelle que soit la forme plus ou moins développée qu'elle ait revêtue, comme la question fondamentale du mouvement.

Enfin, les communistes travaillent à l'union et à l'entente des partis démocratiques de tous les pays.

Les communistes ne s'abaissent pas à dissimuler leurs opinions et leurs buts. Ils proclament hautement que ces buts ne pourront être atteints sans le renversement violent de tout l'ordre social passé. Que les classes régnantes tremblent à l'idée d'une révolution communiste. Les prolétaires n'ont rien à y perdre, hors leurs chaînes. Ils ont un monde à gagner.

Prolétaires de tous les pays, unissez-vous !

Observations
sur le *Manifeste*

1. Le *Manifeste* offre un exemple instructif de la manière dont un projet de réalisation humaine donne naissance à un système social plus inhumain encore que celui qu'il prétendait détruire pour s'y substituer.

2. Ce qui, par abstraction, éloigne chacun de sa propre existence concrète travaille tôt ou tard à l'opprimer. Parce que l'esprit d'émancipation inspirant le *Manifeste* agissait comme une forme séparée de la volonté de vivre, à chaque instant affirmée et niée dans le vécu quotidien, il contenait en germe l'empire du mensonge déconcertant et l'idéologie communiste qui en constitua la vérité d'État.

3. L'Histoire n'a été jusqu'à nos jours que l'histoire d'un système économique et social où l'homme nie son humanité native en devenant le produit de la marchan-

dise qu'il produit. À l'encontre d'une liberté que seule authentifie la réalisation affinée des désirs de vie, les libertés abstraites ont toujours été l'effet d'une expansion marchande déterminée par la nécessité lucrative.

4. Chaque fois qu'au cours de son évolution l'économie s'est trouvée prisonnière de formes archaïques, elle les a brisées au nom de la liberté du commerce pour instaurer aussitôt de nouvelles tyrannies, édictées par la loi du profit. Ce que l'économie investit en avantages sociaux, elle le récupère au prix d'un double crime contre l'humanité : elle réprime au nom de la liberté de la nation, du peuple ou de l'individu ; et elle tourne en réflexe de mort l'élan passionnel que l'éclatement du despotisme ancien avait ravivé en faveur de la vie.

5. La spécificité humaine n'est pas le travail, mais la création. La transformation de la force de vie en force de travail refoule et inverse cette aspiration à la jouissance de soi qui appelle à la création conjointe du monde et de la destinée individuelle. Un univers transformé par le travail n'accède qu'à la modernité de son inhumanité fondamentale, puisqu'il implique la transformation de l'homme en travailleur, sa négation en tant qu'être de désirs et de vie. En fondant l'émancipation sur la gestion collective des moyens de produc-

tion, Marx et Engels font de la liberté le drapeau d'une universelle oppression.

6. L'opposition entre bourgeoisie et prolétariat a occulté la séparation introduite par le travail dans le corps individuel, la tête, centre de la conscience des désirs, s'érigeant en citadelle d'un Esprit affecté à la répression de la matière libidinale et à son exploitation laborieuse. La lutte finale aux termes de laquelle l'esclave accédait à l'humanité en anéantissant son maître s'est ainsi trouvée engagée non par la volonté de vivre, mais par son inversion, la volonté de puissance. Ceux qui proclament que la lutte des classes a disparu auraient tout intérêt à reconnaître qu'il en est ainsi parce que le prolétariat est partout, parce que l'esclave n'a plus devant lui qu'un seul ennemi qui le rende esclave de la misère et de la mort : lui-même.

7. L'idée qu'un parti pût constituer le « fer de lance du prolétariat » reproduisait dans la classe dominée la hiérarchie que la fonction dénaturante du travail avait établie entre la tête pensante – le « chef » – et le reste du corps. C'était conforter une volonté de puissance déjà privilégiée par le caractère concurrentiel d'une économie qui, loin de dépasser le caractère adaptatif et prédateur du règne animal, le socialisait, entravant ainsi l'évolution humaine et refoulant la création aux

confins de son empire, dans les marges de l'art et du rêve.

8. L'histoire économique, politique et sociale a confirmé la justesse de l'analyse marxiste sur deux thèses essentielles : le dépérissement de l'État et la baisse tendancielle du taux de profit.

a) Après avoir, à l'Est comme à l'Ouest, avalé le capitalisme privé, l'État le régurgite dans une condition de délabrement plus grand, à laquelle il est désormais impuissant à porter remède.

b) L'exploitation de la nature humaine et de la nature terrestre s'est propagée à un degré tel qu'épuisant les ressources planétaires elle épuise sa rentabilité. La baisse tendancielle du taux de profit se traduit aujourd'hui par une accumulation financière en circuit fermé. Celle-ci, de moins en moins investie dans la production, s'attache à la rentabilité résiduelle du secteur tertiaire – dominé par la bureaucratie affairiste –, aux dépens d'un secteur prioritaire (agriculture, enseignement, textile, métallurgie…) dont la ruine sollicite l'intervention d'un néo-capitalisme écologique.

9. En deux siècles, l'Histoire n'a cessé de s'accélérer. 1789 a marqué la fin de la prédominance agraire dans l'économie. L'instauration du libre-échange propageait l'esprit démocratique, tandis que l'essor

industriel renforçait un esprit autoritaire, inhérent à l'organisation de la production, que la concentration étatique, de type fasciste et bolchevique, allait porter au paroxysme.

Dans la seconde moitié du XXᵉ siècle, l'importance du secteur productif décroît à l'avantage du secteur de la consommation, qui offre de meilleures garanties de rentabilité. La décolonisation entre d'autant plus aisément dans le processus de mutation économique que le nouvel impératif « Achetez n'importe quoi mais achetez ! » préside à un nouveau mode de colonisation des masses dans les pays industrialisés.

L'inflation quantitative du consommable entraîne une baisse de qualité des biens, la dégradation de la valeur d'usage, l'abandon graduel des secteurs prioritaires au profit d'un secteur tertiaire dominé par une bureaucratie affairiste et parasitaire. Surtout, le despotisme de la rentabilité à tout prix fait peser sur la nature humaine et sur la nature terrestre une menace de destruction globale.

En ce qu'elle obéit, comme les précédentes, à une détermination économique, la révolution de 1968 traduit la nécessaire mutation d'un système marchand qui, dans sa crise, découvre une nouvelle rentabilité dans la reconstruction du milieu naturel dévasté par un capitalisme désormais archaïque, si prépondérant qu'il demeure. Elle marque la disparition progressive des idéologies politiques et l'émergence d'idéologies plus directement axées sur la vie quotidienne : hédonisme, consumérisme critique, humanitarisme, écologisme.

10. La révolution de 1968 offre en revanche un trait spécifique : elle a été la première à porter à la conscience le fait que, en se bornant à travailler pour les nouvelles formes de l'économie, les révolutionnaires agissent à l'encontre de leur aspiration humaine, qui est de vivre mieux et non de s'enferrer dans un système de survie qui transforme leurs désirs en valeurs marchandes. Si le monde a plus changé en quelques années qu'en plusieurs millénaires, c'est qu'il a commencé, en 1968, à changer de base.

11. Parce que le néo-capitalisme doit maintenant s'imposer contre la barbarie d'un capitalisme dont la rentabilité agonisante implique l'agonie de la Terre, tout l'incite à s'implanter par le biais d'une éthique. Or, il en va de l'éthique humaniste comme de la liberté de penser et d'action que garantissent formellement les institutions démocratiques : elle prétend protéger contre l'inhumanité lucrative, la pollution, la corruption et la banditisme des affaires, mais elle réduit à l'abstraction volontariste une volont, de vivre que seule la jouissance de soi a le pouvoir de fonder comme création de la destinée individuelle et de son environnement.

12. Si la radicalité, comme l'écrit Marx, est « ce qui saisit les choses à la racine, et la racine de l'homme est l'homme lui-même », le temps est venu pour chacun de se saisir au centre d'un combat dont l'issue quotidienne influe radicalement – dans le sens du vivant ou de la résignation mortifère – sur l'agencement des événements dans le monde. C'est à cet affrontement à la racine qu'il importe de rapporter tout ce qui s'entreprend au nom de l'économie, de la société, de la morale et de l'humain.

13. Toute valeur d'usage qui n'entre pas dans le projet de la jouissance de soi et du monde par la création de soi et du monde participe du système aliénant de la marchandise.

14. Il ne suffit plus que l'intelligence prenne appui sur l'époque afin de la changer. Il s'agit désormais que le corps prenne conscience de sa volonté de vivre et de son environnement comme d'un territoire à libérer pour instaurer la souveraineté du vivant.

RAOUL VANEIGEM
6 juin 1994

Vie de Karl Marx

5 mai 1818. Naissance de Karl Marx, issu d'une famille de rabbins, à Trèves (Prusse-Rhénane).

1835-1836. Marx étudie le droit à Bonn, puis à Berlin.

1837. Il fréquente le Doktorklub, cercle d'universitaires et de jeunes hégéliens de gauche.

1838. Mort de son père, l'avocat Heinrich Marx.

1841. Marx obtient le titre de docteur en philosophie à l'université d'Iéna.

1842. Il renonce à une carrière universitaire et s'engage dans le journalisme. Il s'installe à Bonn.

Début de collaboration à la *Rheinische Zeitung*, où il est rédacteur en chef à partir d'octobre. Premiers contacts avec les idées socialistes et communistes. Première rencontre avec Engels.

1843. Marx démissionne de la rédaction du journal, qui est interdit en mars. Il épouse Jenny von Westphalen, avec qui il s'installe à Paris. Découverte des milieux révolutionnaires et du prolétariat parisien.

1844. Parutions : *La Sainte Famille*, *À propos de la question juive*, *Pour une critique de la philosophie du droit de Hegel*. Il rencontre Bakounine, révolutionnaire anarchiste russe, et Proudhon.

1845. Expulsé de France par ordre de Guizot sur intervention de la Prusse, Marx s'établit à Bruxelles et entreprend des études économiques. Parution de *L'Idéologie allemande*.

1847. Premier congrès de la Ligue des communistes à Londres. Marx est nommé président de la commune bruxelloise de la Ligue des communistes. Séjour à Londres, avec Engels, pour le deuxième Congrès de la Ligue où ils sont chargés de rédiger un manifeste.

1848. Parution à Londres du *Manifeste du parti communiste*, la veille de la révolution du 24 février. Expulsé de Belgique, Marx rejoint Paris, puis Cologne, où il devient rédacteur en chef de la *Nouvelle Gazette rhénane (Neue Rheinische Zeitung)*, organe démocratique révolutionnaire.

1849. Expulsé d'Allemagne, Marx se rend en France, puis émigre à Londres. Parution de *Discours sur le libre-échange* et de *Travail salarié et capital.*

1850. Parution des *Luttes de classes en France.*

1851. Marx devient correspondant pour l'Europe de la *New York Daily Tribune.*

1852. Sur proposition de Marx, dissolution de la Ligue des communistes. Parution du *Dix-Huit Brumaire de Louis Bonaparte.*

1854. Marx, délégué d'honneur au Parlement du travail, est convoqué à Manchester par les chartistes.

1856. Publication d'une vingtaine d'articles dans la *New York Daily Tribune.*

1857. Rédaction des *Grundrisse.*

1859. Parution de *Contribution à la critique de l'économie politique.* Marx prend la direction de *Das Volk*, hebdomadaire allemand qui paraît à Londres.

1863. Recherches sur les théories de la plus-value et l'histoire de la technique. Mort de sa mère.

1864. Fondation, à Londres, de l'Association internationale des travailleurs (AIT) ; Marx est nommé secrétaire du conseil général. Parution du *Procès de production du capital.* Après seize ans de silence, Marx renoue avec Bakounine.

1865. Marx, avec Engels, se dresse contre le « socialisme gouvernemental », à tendance nationaliste, des lassalliens.

1866. Tous deux font campagne pour la cause de la Pologne. Le Congrès élit Marx au conseil général de l'AIT.

1867. Parution du livre I du *Capital*, à Hambourg.

1868. Mariage de Laura, fille de Marx, avec Paul Lafargue.

1870. L'AIT applaudit à l'avènement de la république en France, après la défaite du pays contre la Prusse. Parution de *La Guerre civile en France*. Luttes de tendances au sein de l'AIT entre Marx et Bakounine, représentant de la fraction anti-autoritaire.

1871. Proclamation de la Commune de Paris.

1872. Congrès de La Haye, qui entraîne l'éclatement de la première Internationale, dont le siège est transféré à New York. Bakounine est exclu de l'AIT. Parution en russe du *Manifeste communiste*.

1873. Malgré sa maladie, Marx continue de travailler aux livres II et III du *Capital* ; il étudie l'histoire économique et sociale de la Russie.

1875. À Gotha, congrès d'unification du socialisme allemand, qui réunit les lassalliens et les marxistes. Traduction française du livre I du *Capital*.

1876. Dissolution officielle de le première Internationale. Mort de Bakounine.

1880. Jules Guesde écrit, sous la dictée de Marx, les *Considérants du programme du Parti ouvrier français*. Succès du *Capital* en Russie.

1881. Marx et Jenny sont gravement malades. Jenny meurt le 2 décembre.

14 mars 1883. Mort de Karl Marx.

1885 et 1894. Parution des livres II et III du *Capital*.

Repères bibliographiques

Ouvrages de Karl Marx
- *Le Capital*, Flammarion, 1985.
- *Œuvres*, 4 vol., Gallimard, La Pléiade, 1968-1994.
- *Le Dix-Huit Brumaire de Louis Bonaparte*, Scandéditions, 1993.
- *Écrits de jeunesse*, Quai Voltaire, 1994.
- *Grundrisse : manuscrits de 1857-1858*, Messidor, 1980.
- *L'Idéologie allemande*, Messidor, 1982.
- *La Guerre civile en France : 1871*, Messidor, 1987.
- *Lettres à Kugelmann*, Messidor, 1987.
- *Les Luttes de classes en France : 1848-1850*, Messidor, 1984.
- *La Nouvelle Gazette rhénane*, Messidor, 1970.
- *Thèses sur Feuerbach*, Messidor, 1984.
- *Travail salarié et capital, Salaire, prix et profit*, Messidor, 1985.

Études sur Karl Marx
- ALTHUSSER (Louis), *Pour Marx*, La Découverte, 1986.
- BALIBAR (Étienne), *La Philosophie de Marx*, La Découverte, 1992.
- DUNAYEVSKAYA (Raya), *Marxisme et Liberté*, Ivréa, 1971.
- ELLENSTEIN (Jean), *Karl Marx, sa vie, son œuvre*, Fayard, 1981.
- HENRY (Michel), *Marx*, vol. I : Une philosophie de la réalité ;
  vol. II : Une philosophie de l'économie, Gallimard, 1976.
- KORSCH (Karl), *Karl Marx*, Ivréa, 1971.
- LEFEBVRE (Henri), *Le Marxisme*, PUF, Que sais je ?, n° 300, 1990.
- MEHRING (Franz), *Karl Marx. Histoire de sa vie*, Messidor, 1983.
- PAPAIOANNOU (Kostas), *De Marx et du marxisme*, Gallimard, 1983.
- SÈVE (Lucien), *Une introduction à la philosophie marxiste*,
  Éditions sociales, 1980.
- VADÉE (Michel), *Marx penseur du possible*, Klincksieck, 1992.
- Dossier « Marx après le marxisme », *Magazine littéraire*, n° 324,
  septembre 1994.

Mille et une nuits propose des chefs-d'œuvre pour le temps
d'une attente, d'un voyage, d'une insomnie…

Dernières parutions

La Petite Collection. 205. Anthony BURGESS/Isaac Bashevis SINGER, *Rencontre au sommet*. Coédition Arte Éditions. 206. John LOCKE, *Lettre sur la tolérance*. 207. Charles BAUDELAIRE, *Les Paradis artificiels*. 208. Viktor PELEVINE, *Omon Ra*. 209. Camillo BOITO, *Senso*. 210. Georges SIMENON, *Police secours ou Les Nouveaux Mystères de Paris*. 211. NOSTRADAMUS, *Les Prophéties*. 212. Vincent VAN GOGH, *Dernières Lettres*. 213. Raymond RADIGUET, *Le Diable au corps*. 214. Fiodor DOSTOÏEVSKI, *Le Joueur*. 215. LUXUN, *Tempête dans une tasse de thé*. 216. Jerome CHARYN/LOUSTAL, *Une romance*. 217. Paul GAUGUIN, *Noa Noa*. 218. Alexis de TOCQUEVILLE, *Quinze jours dans le désert américain*. 219. Henri LAPORTE, *Journal d'un poilu*. 220. Honoré de BALZAC, *La Fille aux yeux d'or*. 221. Heinrich von KLEIST, *La Marquise d'O*. 222. Eugène-François VIDOCQ, *Considérations sommaires sur les prisons, les bagnes et la peine de mort*. 223. Nicolas MACHIAVEL, *Le Prince*. 224. Arthur Rimbaud, *Poésies*. 225. Léon TOSLTOÏ, *Maître et Serviteur*. 226. André GIDE, *La Comtesse (Biarritz 1902)*. 227. PLATON, *Le Banquet*. 228. Leopold von SACHER-MASOCH, *La Vénus à la fourrure*. 229. Gérard de NERVAL, *Les Chimères*. 230. VOLTAIRE, *Lettres philosophiques*. 231. Joseph CONRAD, *Au cœur des ténèbres*. 232. Raphaël CONFIANT, *La Dernière Java de Mama Josepha*. 233. Denis DIDEROT, *Paradoxe du comédien*. 234. Michel de MONTAIGNE, *De l'expérience*. 235. Reiner Maria RILKE, *Deux histoires praguoises*. 236. Jacqueline HARPMAN, *Une rencontre inattendue*.

Les Petits Libres. 15. Pierre-André TAGUIEFF, *La Couleur et le sang. Doctrines racistes à la française*. 16. Gérard GUICHETEAU, *Papon Maurice ou la continuité de l'État*. 17. Guy KONOPNICKI, *Manuel de survie au Front*. 18. Marc PERELMAN, *Le Stade barbare. La Fureur du spectacle sportif*. 19. Toni NEGRI. *Exil*. 20. François DE BERNARD, *L'Emblème démocratique*. 21. Valerie SOLANAS, *SCUM Manifesto*. 22. Shigenobu GONZALVEZ, *Guy Debord ou la beauté du négatif*. 23. Serge MOATI/Ruth ZYLBERMAN, *Le Septième Jour d'Israël… Un kibboutz en Galilée*. Coédition ARTE Éditions. 24. Georges BENSOUSSAN, *Auschwitz en héritage? D'un bon usage de la mémoire*. 25. Pius NJAWÉ, *Bloc-notes d'un bagnard*. Coédition Reporters sans frontières. 26. Myriam GAUME, *Kosovo: la guerre cachée. Trois semaines dans la vie des Kosovars*. Coédition Médecins sans frontières.

Pour chaque titre, le texte intégral, une postface,
la vie de l'auteur et une bibliographie.

49-40-4194-05/4
Achevé d'imprimer en mars 2004, par Liberduplex (Espagne).
N° d'édition : 45528